Collection dirigée par Jeanine et Jean Guion

Dans ton livre, tu trouveras :
- les mots difficiles expliqués page 31
- des jeux de lecture page 37
- les bonnes réponses des questions-dessins
et les solutions des jeux à la fin.

Conception graphique : Klara Corvaisier • Mise en page : Jehanne Fitremann
Édition : Marie Millet • Adaptation 3D du personnage de Ratus : Gabriel Rebufello
Adaptation 3D du personnage de Ralette : Luiz Catani
Création du monde de Ralette et scénarios des dessins : J. & J. Guion
Conception des jeux de lecture : J. & J. Guion
© Éditions Hatier, 8 rue d'Assas, 75006 Paris, 2016.
Loi n°49 956 du 16 juillet 1949 sur les publications destinées à la jeunesse.
ISBN : 978-2-218-99635-1 • Dépôt légal : 99635 1 / 02 - mai 2016
Achevé d'imprimer par Pollina à Luçon – France - L76214

Ralette
reine du carnaval

Une histoire de Jeanine et Jean Guion
illustrée par Luiz Catani

Lili

Ratounet

Raldo

Roméo

Les personnages de l'histoire

Cette année, le carnaval fête ❶

les rois et les reines.

Ralette a choisi son roi :

c'est Raldo.

Ratounet sera avec Lili,

mais Roméo n'a pas trouvé

de reine.

Ralette a cousu sa robe de reine. ②

Elle téléphone à Raldo ③

pour qu'il vienne l'admirer. ④

Quand elle ouvre la porte, il lui dit :

– Ta robe ne te va pas,

   on dirait un sac.

– Tu es le roi des idiots !

   crie Ralette, furieuse. ⑤

Qui est l'autre roi que Ralette choisit ?

Ralette ajoute :

– Va-t'en ! Je veux un autre roi.　　⑥

　　Je vais prendre Roméo.

　　Il est un peu fou,

　　mais il est poli, lui.

Elle claque la porte au nez de Raldo.　⑦

Il va être sur un char sans reine.

Ralette téléphone à Roméo

qui est tout content d'être son roi.

Quand il arrive chez son amie, ⑧

il lui dit qu'elle est très belle ⑨

en habit de reine. ⑩

Puis Ralette part au marché.

Pendant ce temps, pour s'amuser,

Roméo essaie la robe ! ⑪

Et il va sur la place pour
faire le pitre devant ses amis. ⑫

Lili et Ratounet sont assis
sur le rebord de la fontaine. ⑬

Roméo soulève la robe de Ralette
pour ne pas la salir.

Il tourne, il saute, ⑭
il rit comme un fou !

Qui va tomber dans la fontaine ?

Roméo monte sur le rebord
de la fontaine et il danse.
Mais voilà Ralette de retour.
— Ma robe ! crie-t-elle.
Elle se précipite vers Roméo   (15)
qui se prend les pieds   (16)
dans le tissu et… *plouf* !
il tombe dans l'eau !   (17)

Chez qui Roméo va-t-il ?

Roméo sort vite de la fontaine
pour échapper à Ralette.
Elle lui jette les pommes
qu'elle a dans son panier.
Roméo crie :
– Je ne veux plus être ton roi !
Il soulève la robe
pour pouvoir courir
et il s'enfuit chez Raldo. **18**

Que font les amis de Raldo ?

— Je vais me faire une nouvelle robe
    encore plus jolie, se dit Ralette.

    Mais je dois trouver un roi.

Elle téléphone aux amis de Raldo.

Ils ne veulent pas de reine

car ils font des grosses têtes

qu'ils vont mettre pour défiler.

En quoi Léon va-t-il se déguiser ?

Ralette va chez son voisin Léon

pour lui raconter ses misères.

– Si tu veux, je peux être

Neptune, le roi de la mer, dit-il.

J'ai joué ce rôle au théâtre

et j'ai gardé le costume.

– Je serai ta reine ? demande Ralette.

Léon lui dit son idée.

– Hourra ! s'écrie Ralette. ⑲

*Trouve ce qui est faux
sur le char de Lili.*

Le dimanche, c'est la fête.

Les gens lancent des serpentins. 20

Puis le défilé des chars commence.

Voilà celui de Lili et de Ratounet !

Ils sont déguisés en roi et en reine

de la brocante avec toutes sortes 21

de vieux objets sur leur char.

Après, il y a un char très fleuri

décoré d'un gros soleil.

Qui est la reine du sport ?

Le char suivant est celui du sport.

Raldo est le roi, et il a une reine :

c'est Roméo qui a mis

la robe de Ralette !

La foule rit car Roméo danse.

Il y a aussi le char du savon,

puis le char du sucre

avec un roi et une reine

déguisés en gâteaux. ㉒

Trouve le char de Ralette.

Le dernier char est celui de la mer.

La reine est une sirène, (23)

et c'est Ralette !

Comme elle est jolie avec sa queue (24)

de poisson et sa couronne dorée !

Le défilé est terminé.

Le maire prend le micro :

– Les gagnants du carnaval

   sont Ralette et Léon.

La foule crie : *Bravo ! Bravo !*

*Qui a gagné le prix spécial
du carnaval ?*

– Ce n'est pas fini, dit le maire.

Il y a aussi un prix spécial (25)

pour le roi et la reine du sport.

Vive Raldo et vive Roméo !

La foule applaudit très fort. (26)

Roméo fait tourner sa robe

et Ralette éclate de rire.

Des confettis pleuvent. (27)

Tout le monde s'amuse.

Vive le carnaval !

Pour t'aider à lire

Retrouve ici les mots expliqués pour bien comprendre l'histoire.

Alphabet des **majuscules**

A a	H h	O o	V v
B b	I i	P p	W w
C c	J j	Q q	X x
D d	K k	R r	Y y
E e	L l	S s	Z z
F f	M m	T t	
G g	N n	U u	

1

cette   *sè-te*

2

elle a **cousu**
Ralette a fait sa robe
elle-même.

3

elle **téléphone**

32

4 *viè-ne*

pour qu'il **vienne**
Ralette dit à Raldo
de venir.

ad-mi-ré

l'**admirer**
Dire à Ralette
qu'elle est jolie.

5 *fu-ri.eu-ze*

furieuse
Ralette est en colère.

6 *o-tre*

un **autre** roi
Un roi, mais pas
Raldo.

7

elle **claque** la porte
Elle ferme la porte
très fort.

né

au **nez** de
Juste devant la figure
de Raldo.

8 *ché*

chez

9 *bè-le*

belle
Jolie.

10 *en-na-bi*

en **habit** de reine
Vêtue comme
une reine.

11 *é-sè*

il **essaie**
Roméo met la robe
pour voir si elle lui va.

33

12

faire le **pitre**
Faire des bêtises pour
faire rire les autres.

13

la **fontaine**

14 *so-te*

il **saute**

15

elle **se précipite**
Elle court vite vers
Roméo.

16 *pi.é*

les **pieds**

17 *lo*

l'**eau**

18

il **s'enfuit**
Il part très vite.

19 *ou-ra*

hourra !
C'est un cri de joie.

20 *lan-se*

ils **lancent**
Ils jettent.

des **serpentins**

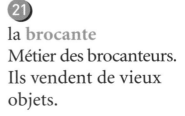

21

la **brocante**
Métier des brocanteurs.
Ils vendent de vieux
objets.

ga-to

en **gâteaux**

une **sirène**

 keu

une **queue** de poisson

 spé-si.al

un prix **spécial**
Un prix donné
en plus.

 a-plo-di

elle **applaudit**
La foule tape dans
ses mains car
elle est contente.

des **confettis**
Petites rondelles
de papier coloré
qu'on lance pendant
le carnaval.

pleu-ve

ils **pleuvent**
Ils tombent de partout,
comme la pluie.

35

Les jeux
de Ralette

Pour bien lire
et bien rire !

Trouve **ce qui manque** à chaque mot.

une cou◼e

p   d   b

il d◼se

in on an

une c◼ronne

on ou oi

un pa◼ier

m r n

Les grosses têtes se trompent !
Remets chaque petite tête
dans la bonne phrase.

1 est déguisée en sirène.

2 est le roi de la brocante.

3 a mis la robe de Ralette.

4 est le roi du sport.

5 est la reine de Ratounet.

6 a été le roi de la mer au théâtre.

41

Collection
Ratus

Découvre d'autres histoires
dans la collection :

6•7 ans
et +

niveau
2

PREMIÈRES
LECTURES

Une histoire à lire tout seul
dès le 2ᵉ trimestre du CP,
avec des questions-dessins
et des jeux de lecture.

Ratus raconte ses vacances
Une histoire de Jeanine et Jean Guion
Illustrée par Olivier Vogel

6

Ratus en ballon
Une histoire de Jeanine et Jean Guion
Illustrée par Olivier Vogel

8

La cabane de Ratus
Une histoire de Jeanine et Jean Guion
Illustrée par Olivier Vogel

4

Le poney de Ralette
Une histoire de Jeanine et Jean Guion
Illustrée par Lise Calata

9

Un nouvel ami pour Ratus
Une histoire de Jeanine et Jean Guion
Illustrée par Olivier Vogel

22

Et aussi...

Des histoires
bien adaptées
aux jeunes
lecteurs, avec des
questions–dessins
et des jeux de
lecture.

7•8 ans
et +

niveau
3

BONS
lecteurs

Collection Ratus

Ratus
à la fête
des amoureux

Une histoire de Jeanine et Jean Guion
illustrée par Olivier Vogel

Hatier jeunesse

29

Collection Ratus

Ratus
chez le
coiffeur

Une histoire de Jeanine et Jean Guion
illustrée par Olivier Vogel

24

Collection Ratus

Ratus
et le monstre
du lac

Une histoire de Jeanine et Jean Guion
illustrée par Olivier Vogel

Hatier jeunesse

13

Collection Ratus

Ratus
à l'école

Une histoire de Jeanine et Jean Guion
illustrée par Olivier Vogel

Hatier jeunesse

12

Ratus et le trésor du pirate
Une histoire de Jeanine et Jean Guion
illustrée par Olivier Vogel

11

Les mensonges de Ratus
Une histoire de Jeanine et Jean Guion
illustrée par Olivier Vogel

14

Ralette fait du judo
Une histoire de Jeanine et Jean Guion
illustrée par Luis Célard

10

Ratus à l'école du cirque
Une histoire de Jeanine et Jean Guion
illustrée par Olivier Vogel

23

Ratus aux sports d'hiver
Une histoire de Jeanine et Jean Guion
illustrée par Olivier Vogel

27

Ratus et l'œuf magique
Une histoire de Jeanine et Jean Guion
illustrée par Olivier Vogel

30

Collection
Ratus

Et encore...

8•10 ans
et +

niveau
4

TRÈS BONS
lecteurs

Des histoires plus longues,
pour le plaisir de lire
avec Ratus et ses amis.

Ratus court le marathon
Une histoire de Jeanine et Jean Guion
Illustrée par Olivier Vogel

17

Ratus joue aux devinettes
Une histoire de Jeanine et Jean Guion
Illustrée par Olivier Vogel

16

Ratus gare au sorcier !
Une histoire de Jeanine et Jean Guion
Illustrée par Olivier Vogel

31

19

18

25

20

À bientôt !

Les bonnes réponses aux questions-dessins

Tu es un super-lecteur si tu as trouvé
ces **10** bonnes réponses :

2, 5, 8, 11, 15, 18, 20, 25, 28, 32.

Les solutions des jeux de lecture

Les taches (page 38)
une **cou**pe, il **dan**se, une **cou**ronne, un **pa**nier.

Le char de la musique (page 39)
une trompette, un piano, une flûte,
un tambour, une guitare, un violon.

Les mots coupés (page 40)
courir, crier, se sauver, lancer, se fâcher,
bondir.

Les petites têtes (page 41)

1. Ralette   **4.** Raldo

2. Ratounet   **5.** Lili

3. Roméo   **6.** Léon

PAPIER À BASE DE
FIBRES CERTIFIÉES

Hatier s'engage pour
l'environnement en réduisant
l'empreinte carbone de ses livres.
Celle de cet exemplaire est de :
300 g éq. CO$_2$
Rendez-vous sur
www.hatier-durable.fr

IMPRIM'VERT